SAFED Guide

צפת מדריך

1 Vera Alexander

Studied in Slovakia and the Art Academies of Florence and Bologna in Italy. Exhibited her work in Europe, mainly Italy. Oil paintings, pastels and mixed media. Open daily all year.
☎ 06-6921289.

וירה אלכסנדר

למדה בסלובקיה ובאקדמיה לאמנות של פירנצה ובולוניה באיטליה. הציגה בגרמניה ובעיקר באיטליה. ציורי שמן, פסטל וטכניקה מעורבת. פתוח יום-יום כל השנה.
☎ 06-6921289.

---

2 Michal Auerbach

Studio/ Zimmer apartments.
Studied in Israel and Europe. Held several one-woman shows and took part in international exhibitions. Oil paintings, drawings, etchings and woodcuts. Open daily all year. ☎ 06-6972759

מיכל אורבך סטודיו / צימרים

למדה אמנות בארץ ובאירופה. הציגה תערוכות יחיד והשתתפה בתערוכות קבוצתיות רבות בארץ ובחו״ל. ציורי שמן, רישומים, תחריטים והדפסי עץ. פתוח יום-יום כל השנה.

---

3 Azriel & Irene Awret

Azriel Awret's sculptures are human and sensitive, even when they are of the animal world. He works in stone, wood, marble and concrete.

Irene's painting style is earthy, straightforward, solid and realistic – intensive life and dramatic shadows.

עזריאל ואירן אברט

פסליו של עזריאל אנושיים ורגישים, גם כאשר הנושא מעולם החי. הוא עובד באבן, עץ, שיש ובטון. סגנון ציוריה של אירן ענייני וארצי, מציאותי ואיתן – חיים אינטנסיביים וצללים דרמטיים. צבעוניותה רעננה ועזה.

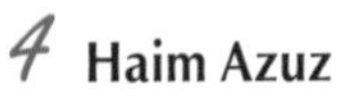

4 Haim Azuz

Abstract and figurative sculpture. "...One is left with the impression of great beauty and dynamic rythms in every piece..." His work is found in North America, Europe and Israel. Open daily all year 10:00 - 19:00 ☎ 06-6972291
www.azuz.co.il

חיים עזוז

פסלים מופשטים ופיגורטיביים. "...עבודותיו משרות תחושת יופי מופלא ומקצב דינאמי..." פסליו מצויים בצפון אמריקה, אירופה ובישראל.
פתוח יום-יום כל השנה 10:00 - 19:00
www.azuz.co.il ☎ 06-6972291

5 Helen Bar-Lev

Watercolor landscapes of Safed and Jerusalem. Aquarelle, pen and brush paintings, travel sketches and prints. Open daily all year 10:00 - 19:00.

☎ 06-6970905. hbarlev@netvision.net.il

הלן בר-לב

ציורים בצבעי מים של נופי צפת וירושלים.
אקווארלים, ציורי עט ומכחול, סקיצות והדפסים.
פתוח יום-יום כל השנה בין השעות 10:00 ו-19:00.
☎ 06-6970905

---

6 Rivka Baser

Fine ceramic jewelry. Rivka Baser studied ceramics in Paris. She participated in international competitions and exhibited her work in Paris, Geneva, Athens and Germany. Open during the summer months and holidays. ☎ 06-6974485, 03-6733431.

רבקה בזה

למדה קרמיקה בפריז. יוצרת תכשיטים מקרמיקה.
השתתפה בתחרויות בינלאומיות והציגה בפריז, ז׳נבה,
אתונה וגרמניה. פתוח בחגים ובחודשי הקיץ.
☎ 06-6974485, 03-6733431

---

7 Robert Baser 1908 -1998

Painter and sculptor. One of the founders of Israel's modernist stream "New Horizons" in 1948 and later active in the avant-garde art scene of Paris. He won many prizes and held numerous one-man shows in Europe and Israel. ☎ 06-6974485, 03-6733431.

רוברט בזה 1998 - 1908

צייר ופסל, ממייסדי ״אופקים חדשים״, הזרם
המודרני שלאחר קום המדינה. היה פעיל באמנות
ה״אוונגארדית״ בשנות ה-50 בפריז. זכה בפרסים
רבים בציור ופיסול והציג בתערוכות יחיד רבות
באירופה וישראל. ☎ 06-6974485, 03-6733431

---

8 Zippora Brenner

Studied painting in France, the U.S. and Israel. Her work is on display in several museums in Israel and abroad, and can be found in private collections in several countries. Open during the summer months. ☎ 06-6921647, 03-5238171.

צפורה ברנר

למדה ציור בצרפת, ארה״ב וישראל. עבודותיה מוצגות
במספר מוזיאונים בארץ ובחו״ל, ונמצאות גם באוספים
פרטיים ברחבי העולם. פתוח בחודשי הקיץ.
☎ 06-6921647, 03-5238171

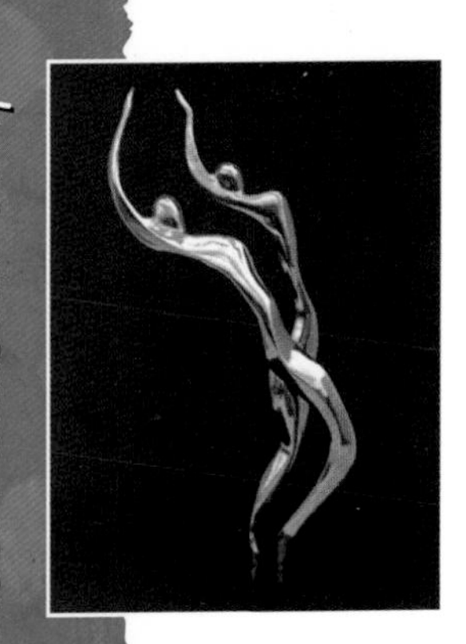

9 Yonathan Darmon

Sculptor. graduate of French Academy of Fine Arts. Exhibited extensively in Israel, Europe and the U.S. Choice of quality bronzes and limited editions. Open daily all year, 10:00 - 18:00. ☎ 06-6920081, 6921794. www.darmon-gallery.co.il

יונתן דרמון

פסל. בוגר אקדמיה צרפתית לאמנות. הציג באירופה וארה״ב. מבחר פסלי ברונזה איכותיים, מקוריים או במהדורות מוגבלות. פתוח יום-יום כל השנה מ-10:00 עד 18:00. ☎ 06-6920081, 6921794

---

10 Arkadi Draznin

Award-winning painter, graduate of the St. Petersburg Academy of Art. Oil paintings, watercolors and prints. Open all year 8:00 - 18:00. Closed Shabbat. ☎ 06-6921916

ארקדי דרזנין

בוגר האקדמיה לאמנות של פטרבורג. זכה במספר פרסים. ציורי שמן, ציורי מים והדפסים. פתוח כל השנה בין השעות 8:00 ו-18:00. סגור בשבת. ☎ 06-6921916

11 Catriel Efrony

A student of the legendary Yehezkel Shtreichman. Blend of lyric abstract and figurative expressionist oil paintings, watercolors and drawings inspired by the views and enchanted atmosphere of Safed. ☎ 06-6971541, 03-5229592

כתריאל עפרוני

מתלמידי יחזקאל שטרייכמן. למד גם בפריז ובברזיל. ציורי שמן, אקווארלים ורישומים.
שילוב של מופשט לירי ופיגורטיבי אקספרסיוניסטי, בהשראת הנופים והאוירה הקסומה של צפת. פתוח יום-יום 9:00-18:00. ☎ 06-6971541, 03-5229592.

---

12 Tamar Efrony

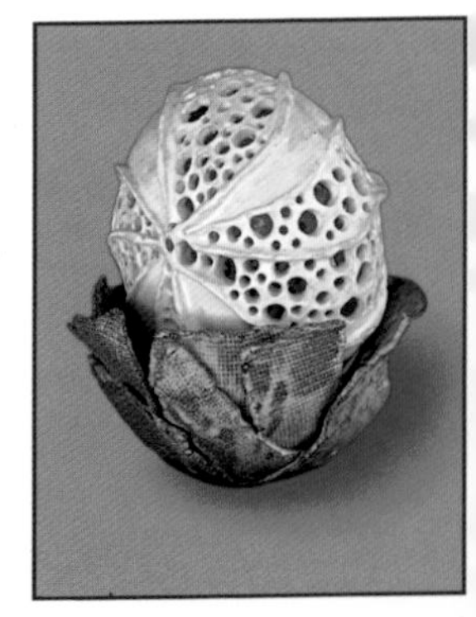

Her art is varied in style – the ceramic sculptures are influenced by Aztec and Inca motifs, whereas her pottery is inspired by ancient and Middle-Eastern styles. Open daily during the summer months. ☎ 06-6971541, 03-5229592.

תמר עפרוני

היצירה האמנותית שלה רב-גונית. בפיסול הקרמי ניכרת השפעת הסגנון של האינקאס ואצטקים בעוד שבקדרות משתקפת ההשפעה הים-תיכונית. פתוח יום-יום בחודשי הקיץ, 9:00 - 18:00 ☎ 06-6971541, 03-5229592.

13 Zvi Ehrman

Zvi Ehrman was a painter, art teacher and architect. His oil paintings, sketches and etchings were widely exhibited, and are now on permanent display. Open daily 9:00 - 21:00 June - Oct. ☎ 06-6920498, 03-5236738.

צבי ארמן

היה צייר, ומורה לאמנות ואדריכל. עבודותיו הוצגו רבות ועתה נמצא האוסף בתערוכת הקבע שבסטודיו. ציורי שמן, סקיצות ותחריטים. פתוח יום-יום מ-9:00 עד 21:00 מיוני עד אוקטובר.
☎ 06-6920498, 03-5236738.

14 Ludmila Feigin

Original miniature designs, hand-painted on silk. Graphite, brush, pen and ink drawings. Ludmila Feigin received her degree in design before immigrating to Israel in 1992. Open daily all year 10-14, 16-19 ☎ 06-6924262

לודמילה פייגין

עיצובים מיניאטוריים מקוריים מצויירים על משי. רישומי גראפיט, מכחול, עט ודיו. לודמילה פייגין קיבלה תואר בעיצוב לפני עלייתה בשנת 1992. פתוח יום-יום כל השנה מ-10:00 עד 14:00 ומ-16:00 עד 19:00
☎ 06-6924262

15 Maureen Greenberg

Oil paintings, most of them inspired by the stories of Rabbi Nachman of Breslav. Studio: Tet-Vav Str. opposite Ziffer Sculpture Garden. Gallery: Yud-Chet Str., above Rimon Inn Hotel.
☎ 06-6974831, 051-501143.

מורין גרינברג

ציורי שמן, רובם בהשראת סיפוריו של רבי נחמן מברסלב. סטודיו: רח' ט"ו, מול גן ציפר. גלריה: רח' י"ח, מעל מלון רימונים. ☎ 051-501143,06-6974831

16 Nina Gurevich

Graduated from St. Petersburg Institute of Art. A number of her paintings are in the permanent exhibition of the St. Petersburg Museum of Art, as well as other important museums. They can also be found in private collections around the world. Open daily all year, 10:00 - 19:00. ☎ 06-6922027.

נינה גורביץ

בוגרת האקדמיה לאמנות של סנט פטרבורג. כמה מציוריה נמצאים בתצוגת הקבע של מוזיאון סנט פטרבורג, ובמוזיאונים חשובים אחרים, וגם באוספים פרטיים במספר מדינות.
פתוח יום-יום כל השנה, 10:00 - 19:00 ☎ 06-6922027

17 Victor Halvani – sculptor

Permanent exhibition and studio. Open Sun-Thu 10 - 17, Fri 10 - 15, Sat. and holidays only by appointment. Outdoor sculptures may be viewed at the Halvani Sculpture Park on the Safed - Rosh Pinna road. ☎ 06-6974057 (gallery), 06-6924944 (residence).

ויקטור חלואני – פסל

תערוכה קבועה וסטודיו. פתוח ימי א׳ - ה׳ 10 - 17, ו׳ 10 - 15, בשבת וחגים בתאום מראש. ניתן לבקר גם בפארק הפסלים של ויקטור חלואני בכניסה לעיר מכיוון ראש פינה. ☎ 06-6974057 (גלריה), 06-6924944 (בית).

18 Anna Heifets

Graduated from St Petersburg College of Art; immigrated to Israel in 1995. Watercolors – landscapes, portraits and book illustrations. Held 2 one-man exhibitions. Open daily ☎ 06-6972910.

אנה חייפץ

בוגרת המכללה לאמנות של סנט פטרבורג. עלתה לארץ בשנת 1995. ציורי מים– פורטרטים ונופים ואיורי ספרים. הציגה בשתי תערוכות יחיד. עבודותיה באוספים רבים. פתוח יום-יום. ☎ 06-6972910

19 Nina Holzer

Drawings, watercolors and oil paintings in the impressionist style. Landscapes and portraits. Open all year on Fri, Sat and holidays. In July and August open daily from 11:00 - 19:00. ☎ 06-6920215, 052-618532.

נינה הולצר

רישומים, ציורי שמן ואקווארלים בסגנון אימפרסיוניסטי. נופים ופורטרטים. פתוח כל השנה בימי שישי, שבת ובחגים. ביולי ואוגוסט פתוח יום-יום בין השעות 11:00 - 19:00. ☎ 06-6920215, 052-618532.

20 Yakov Kaszemacher

"...He combines in his excellent painting geometric abstraction, mysticism, philosophy and pains-taking, even scientific, planning..." Original paintings, silk-screens and photographs. 9 Beit Yosef Str. ☎ 06-6974566, 6971723.

יעקב קשמכר

״. . הוא משלב בציור המצוין שלו מופשטות גיאומטרית, מיסטיקה, פילוסופיה ותכנון מדוקדק, אפילו מדעי. . .״ ציורים מקוריים, הדפסי משי, פוסטרים וצילומים. רח׳ בית יוסף 9 ☎ 06-6971723, 06-6974566.

21 Israel Kaufman

Studied at the Avni Art Institute. Member of the Israel Painters and Sculptors Association. Oil paintings, watercolors and acrylics. 70 Tet-Zayin (opp. Rimon Inn). Open 10-12, 16-18 ☎ 06-6920786, 03-9244316.

ישראל קופמן

בוגר מכון אבני לציור. חבר באגודת הציירים והפסלים בישראל. ציורי אקווארל, שמן ואקריליק. רח' ט"ז 70, קרית האמנים (מול מלון רימונים). פתוח יום-יום מ-10:00 - 12:00 ומ-16:00 - 18:00. ☎ 06-6920786 , 03-9244316

---

22 Mike Leaf

Works in several media: papier mache, linocuts, terra cotta and oil colors. Held one-man shows in the U.S., England, Mexico and Israel. His work is irreverent and humorous – A MUST ! Open all year. ☎ 06-6971998, 06-6971558.

מייק ליף

עובד במגוון חומרים: עיסת נייר, הדפס לינולאום, חימר, וצבעי שמן. ערך תערוכות יחיד בארה"ב, אנגליה, מקסיקו וישראל. יצירותיו משעשעות ובלתי שגרתיות. פתוח כל השנה. ☎ 06-6971558, 06-6971998.

23 Lana Laor

Studied at the Beaux Arts, Paris. In her oil paintings, Laor delves into Safed's electrifying mysticism, attaining spiritual heights that imbue the viewer with a sense of tranquility. Open daily all year. ☎ 06-6924958.

לאנה לאור

למדה ב"אקדמיה לאמנויות יפות" של פריז. בציורי השמן שלה מתמודדת הציירת עם המיסטיקה המחשמלת של צפת, ומרחפת לגבהים רוחניים, המשפיעים רוגע על המתבונן בהם. פתוח כל יום, כל השנה. ☎ 06-6924958.

---

24 Boris Luchansky

Widely acclaimed painter and illustrator. After a fruitful career in the U.S.S.R., he immigrated to Israel in 1990. His work is on permanent display in several museums. In 1998, Luchanski was awarded first prize as the best new immigrant artist in Israel. Open all year. ☎ 06-6999237.

בוריס לוצ'נסקי

צייר ומאייר. עלה לארץ ב-1990 לאחר קריירה פוריה בבריה"מ לשעבר. עבודותיו מוצגות באוספים הקבועים של מספר מוזיאונים. בשנת 1998 זכה בפרס הראשון בתחרות של שר הקליטה. פתוח כל השנה. ☎ 06-6999237

25 Miriam Megidon

Oil paintings, watercolors, gouache, etchings and drawings. Miriam Megidon held several one-woman shows and participated in numerous group exhibitions. Open daily July - September. ☎ 06-6973430, 03-6413056.

מרים מגידון

ציורי שמן, אקווארלים, צבעי גואש, תחריטים ורישומים. מרים מגידון הציגה במספר תערוכות יחיד והשתתפה בתערוכות קבוצתיות רבות. פתוח יום-יום מיולי עד ספטמבר. ☎ 06-6973430, 03-6413056.

---

26 Merzer Livnat – Three Generations

Arieh Merzer revived the ancient Jewish art of copper relief and was one of the founders of the Artists' Colony **Eve Livnat Merzer** is one of Israel's veteran painters who portrays the country's flora and landscapes **Aviv Livnat** is a painter and musician. He studied art and philosophy and works in mixed media.

מרזר לבנת - שלושה דורות של יצירה

אריה מרזר היה ממחיי הענף היהודי העתיק של ריקועי הנחושת. הוא חי ויצר באירופה והיה ממייסדי קרית האמנים של צפת. **חוה לבנת-מרזר** מבכירות ציירות האקווארל בישראל. משלבת בציוריה מפרחי ונופי הארץ. עבודותיה מוצגות בארץ ובחו"ל. **אביב לבנת**: צייר ומוסיקאי. למד פילוסופיה ואמנות. מצייר בטכניקות מעורבות. ☎ 06-6920238, 03-5443977.

---

27 Jan Menses

Veteran painter, draftsman and printmaker. Numerous solo exhibitions, His works are found in the permanent collections of the world's most prestigious museums. Received many awards and honorary degrees. ☎ 06-6920071, 02-6518014.

יאן מנסס

צייר, שרטט ואמן הדפסים מפורסם. הציג בתערוכות יחיד במדינות רבות; עבודותיו מצויות באוספים הקבועים של המוזיאונים היוקרתיים ביותר בעולם. זכה במספר פרסים ובתארי כבוד על מפעל חייו. סטודיו גלריה: ככר המעין הרדום. ☎ 06-6920071, 02-6518014

---

28 Haim Nahor

"...There are many facets to his work. Guided by a practical curiosity and a spontaneous lyrical mood, in his effort to bridge between the abstract and the realistic, Nahor uses a disciplined imagination and an assimilation of several modern schools of art ..." ☎ 06-6971326

חיים נהור ".. נהור מגלה פנים רבות ביצירתו כשהוא מודרך סקרנות ניסויית בצד הלך רוח לירי ספונטני. בחפשו לגשר בין המופשט לבין הפיגורטיבי, מפעיל נהור דמיון מרוסן תוך כדי ספיגה של אסכולות אמנותיות מאוחרות." ☎ 06-6971326

33 Robert Rosenberg
Edith Gallery

Born in Kazakhstan, graduated from the Alma-Ata Art Institute before immigrating to Israel in 1994. His landscapes of Israel and of his native land are executed in oil colors, gouache and watercolors. Open all year. ☎ 06-6820102, 053-450421.

רוברט רוזנברג – גלריה אדית

נולד בקאזחסטאן, למד באקדמיה לאמנויות של אלמא-אטא, ועלה לישראל בשנת 1994. ציורי שמן, גואש ואקווארלים של נופי ישראל ושל ארץ מולדתו. פתוח כל השנה. ☎ 06-6820102, 053-450421.

---

34 Moshe Rosentalis

One of Israel's best-kown artists. Held numerous one-man shows. His paintings are in the permanent collections of Israel's major museums, the Knesset and the President's house. ☎ 06-6974058, 03-6479716.

משה רוזנטליס

אחד מאמניה המוכרים ביותר של ישראל. הציג בתערוכות יחיד רבות בארץ ובחו"ל. עבודותיו מצויות באוספי הקבע של כל המוזיאונים החשובים בארץ, בכנסת ובבית הנשיא. ☎ 06-6974058, 03-6479716.

35 Paula Roset

After leaving her native Holland in 1956, she studied art in Tel-Aviv and Paris. Her landscapes are characterized by their brightness and airiness. They are spontaneous yet well -constructed, often bordering on abstraction. ☎ 06-6920225, 03-6058213

פאולה רוזט

למדה אמנות בארץ ובפריז. ציורי הנוף שלה אווריריים ומלאי אור. הם ספונטאניים ובאותו זמן בנויים בקפידה, לעתים גובלים במופשט. פתוח בקיץ.

---

36 Rika Schwimer

A well-known and widely exhibited portraitist and still-life artist, Rika Schwimer's oil paintings and watercolors have been acquired by museums and private collectors in Israel and abroad. Open all summer. ☎ 06-6970132, 03-7393065.

ריקה שוימר

אמנית בעלת מוניטין בינלאומי. ציורי הנוף, הפורטרטים והדוממים של ריקה שווימר הוצגו בתערוכות רבות ונרכשו על ידי מוזיאונים ואספנים פרטיים. ציורי שמן ואקווארלים. הגלריה פתוחה בכל חדשי הקיץ. ☎ 06-6970132, 03-7393065.

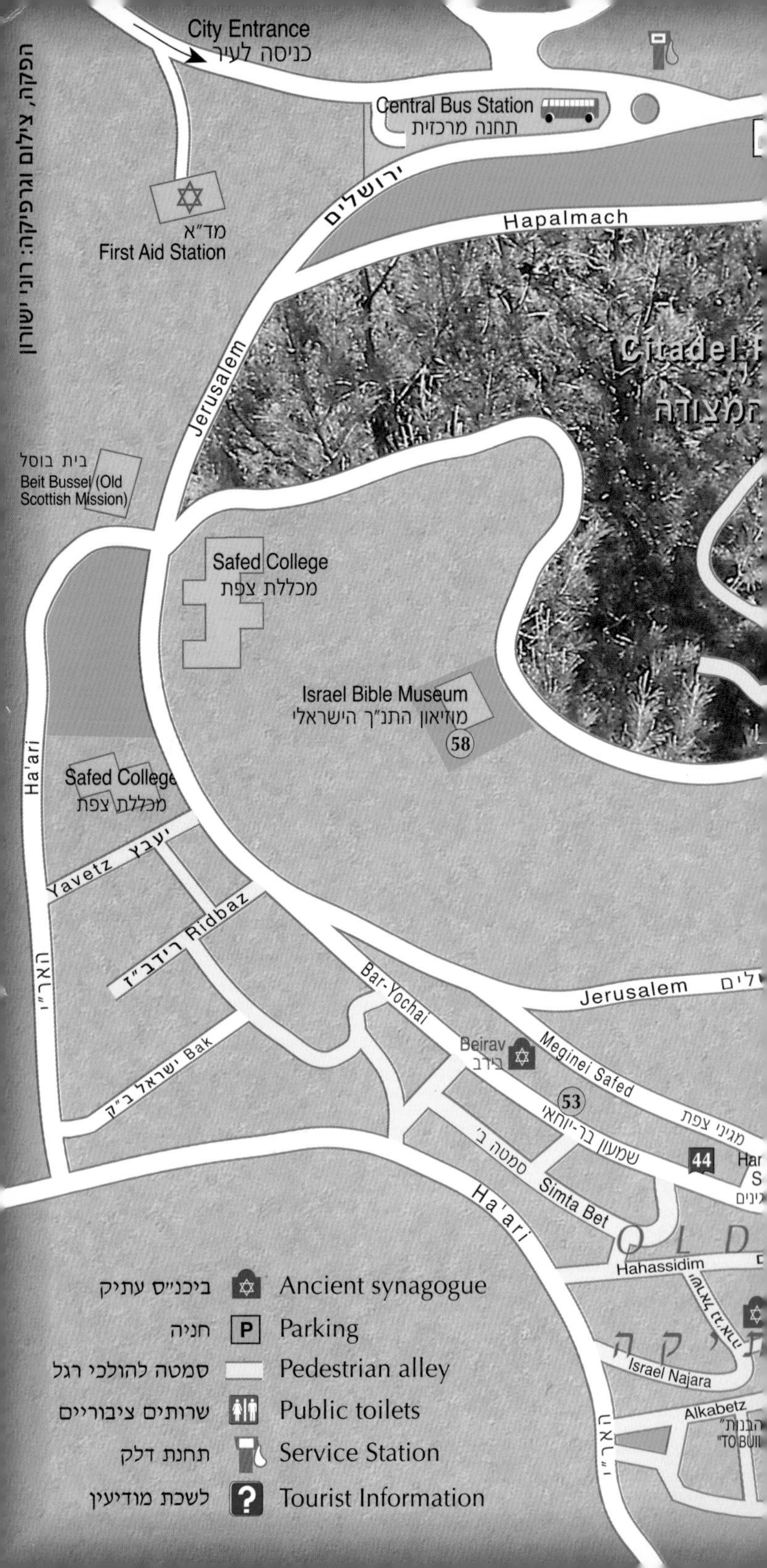

הפקה, צילום וגרפיקה: רוני ישורון
City Entrance
כניסה לעיר
Central Bus Station
תחנה מרכזית
מד"א
First Aid Station
ירושלים
Hapalmach
Jerusalem
Citadel
המצודה
בית בוסל
Beit Bussel (Old Scottish Mission)
Safed College
מכללת צפת
Israel Bible Museum
מוזיאון התנ"ך הישראלי
58
Safed College
מכללת צפת
Ha'ari
יעבץ
Yavetz
Ridbaz
רידב"ז
האר"י
Bar-Yochai
Jerusalem
Beirav
בירב
Meginei Safed
53
מגיני צפת
שמעון בר-יוחאי
ישראל ב"ק
Bak
סמטה ב'
Simta Bet
44
Ha'ari
OLD
Hahassidim
Israel Najara
Alkabetz
האר"י
ביכנ"ס עתיק
Ancient synagogue
חניה
Parking
סמטה להולכי רגל
Pedestrian alley
שרותים ציבוריים
Public toilets
תחנת דלק
Service Station
לשכת מודיעין
Tourist Information

THE ARTISTS' COLONY, SAFED

קרית האמנים – צפת

The Artists' Colony was founded in 1949 in the Arab quarter of Safed, which had been abandoned in the War of Independence.

The pioneers of Israeli art were drawn to Safed by the need to create a focal point where artists could interact, and by their search for indigenous content in the emerging culture of the reborn nation.

At the same time, holocaust survivors also began settling in the quarter. It became not only their new home but also their source of livelihood. Together, they established Israel's first artists' cooperative, with the ancient mosque at the Colony's center serving as a permanent exhibition of works by each of the members. This central gallery, which has been functioning as a "general exhibition" for 45 years, is in the process of being transformed into a museum of Safed's artists.

Today the Colony numbers 55 artists, among them new immigrants from the former Soviet Union. The area opposite the gallery was recently renovated to house crafts workshops and galleries, a new and important addition to the activities of the Colony.

בשנת 1949 הוקמה קרית האמנים באזור הרובע הערבי שנעזב במלחמת השחרור.

הצורך ליצור מוקד למפגש בין אמנים, החיפוש אחר תכנים מקומיים כהשראה לתרבות ארץ-ישראלית המתהווה במדינה הצעירה – כל אלה משכו לצפת אמנים רבים מאבותיה המייסדים של האמנות בארץ.

בד בבד התמקמו בקריה אמנים פליטי השואה, שמצאו בצפת את מולדתם החדשה, את ביתם ואת פרנסתם. יחד הקימו את קואופרטיב האמנים הראשון מסוגו בארץ, כשהמסגד העתיק בלב הקריה משמש לתצוגה מתמדת לעבודותיהם של כל חברי הקריה. גלריה מרכזית זו, הפועלת כ״תערוכה כללית״ מזה 45 שנה, נמצאת בתהליך הפיכת המקום למוזיאון אמני צפת.

כיום חברים בקריה 55 אמנים, ביניהם עולים מחבר העמים. כמו כן שופץ המתחם הסמוך לגלריה הכללית ובו סדנאות יצירה ומכירה לאומנים, המהווים תוספת חשובה לפעילות הקריה.

The General Exhibition is open daily all year

התערוכה הכללית פתוחה כל ימות השנה.

Winter:	Sun - Thu	9:00 - 17:00	שעות הפתיחה בחורף: ימי א׳ - ה׳
Summer:	Sun - Thu	9:00 - 18:00	בקיץ : ״ ״
	Fri, Sat	10:00 - 14:00	יום ו׳ ושבת
	Tel.	06-6920087	טל.

Artists whose work is on display only at the General Exhibition:

Uri Alkabetz
Rachel Cegla
Zipporet Cohen-Raz
Evgenia Grunskaya
Shimon Karczmar
Nathan Karczmar
Milia Laufer
Hana Levy
Yehuda Rodan
Noemi Schindler

אמנים שעבודותיהם מוצגות בתערוכה הכללית בלבד:

אורי אלקבץ
אבגניה גרונסקיה
ציפורת כהן-רז
מיליה לאפר
חנה לוי
רחל צגלה
נתן קרצמר
שמעון קרצמר
יהודה רודן
נעמי שינדלר

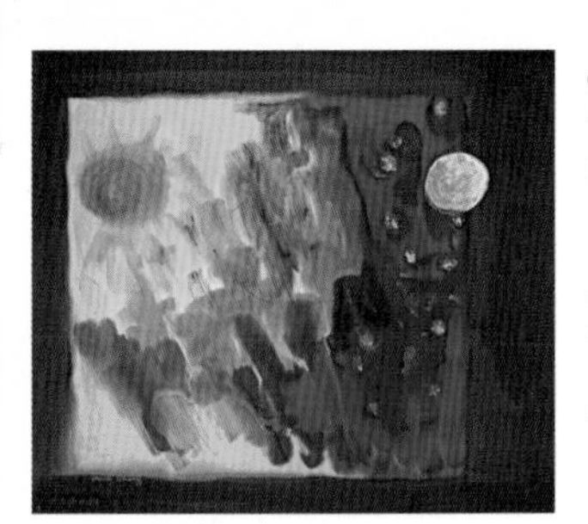

37 Ruth Shany

Watercolor paintings on silk. Shany studied traditional silk art during her 10 years in China. Her work is inspired by a blend of Chinese delicacy and her own European culture. Open daily from May - Nov. and Passover. ☎ 06-6972017, 03-6419895

רות שני ציורי אקוואראל על משי.
רות שני למדה את אמנות המשי המסורתית בתקופת שהות בת עשר שנים בסין. ציוריה מאופיינים בשילוב של עדינות סינית ותרבות אירופית. פתוח ממאי עד נובמבר ובפסח יום-יום.

---

38 Rachel Shavit

Chairperson of the Painters and Sculptors Association in Tel-Aviv. Rachel Shavit has held several solo exhibitions of her paintings in Israel's best museums. In the summer months and during the holidays she holds art workshops at the Eliahu Gat studio. ☎ 03-5222770.

רחל שביט

יושבת ראש אגודת הציירים והפסלים בתל-אביב. הציגה עבודותיה בתערוכות יחיד במוזיאונים חשובים ובגלריות בישראל ובחו"ל. בחודשי הקיץ ובחגים היא מפעילה סדנת יצירה בנוף ע"ש אליהו גת ז"ל. ☎ 03-5222770.

---

39 Victor Shtivelberg

The realism of his paintings is that of a mystic inner world, using symbols from different cultures. He creates his own strange and magnetic language, often surrealistic. His work was displayed in numerous one-man shows and group exhibitions. ☎ 06-6922373

ויקטור שטיבלברג

הריאליזם שבסגנונו נובע מעולמו המיסטי הפנימי, תוך שימוש בשפה מוזרה ומגנטית, לעתים סוריאליסטית. פתוח יום-יום כל השנה.
☎ 06-6922373

---

40 Ilya Sorkin

Graduated from the St Petersburg Academy of Art. Exhibited his work in several countries before immigrating to Israel in 1990. His work is on permanent display in a number of prestigious art museums. Open daily all year 10:00 - 19:00. ☎ 06-6922027.

איליה סורקין

בוגר האקדמית לאמנות של פטרבורג. הציג את עבודותיו במספר מדינות עוד בטרם עלייתו לארץ ב-1990. ציוריו תלויים בכמה מהמוזיאונים חשובים ובאוספים פרטיים. פתוח יום-יום כל השנה בין השעות 10:00 עד 19:00. ☎ 06-6922027.

29 Dr. Moshe Porat

Sculptor and artistic jeweler. An orthopedic surgeon by profession, Dr. Porat creates unique pieces – exclusive hand-made Judaica – in titanium, silver, gold and brass. Exhibited in museums in Paris and Frankfurt. ☎ 06-6923815.

ד"ר משה פורת

פסל וצורף אמנותי. סטודיו לחפצי יודאיקה אקסקלוסיביים ותכשיטים בעבודת יד. ד"ר פורת, רופא אורתופד במקצועו, יוצר בטיטניום, כסף, זהב ופליז, יצירות ייחודיות וחד-פעמיות. הציג במוזיאונים בפריז ובפרנקפורט. ☎ 06-6923815

30 Moshé Raviv-Vorobeichic (Moï VER)

A Bauhaus graduate and disciple of Paul Klee, Kandinsky, Fernand Leger and Laszlo Moholy-Nagy. He is a unique Jewish expressionist painter who achieves a synthesis of Kabbalistic spirituality and mysticism with modernistic forms of Bauhaus painting language. ☎ Safed 06-6920968, Tel Aviv 03-5466093.

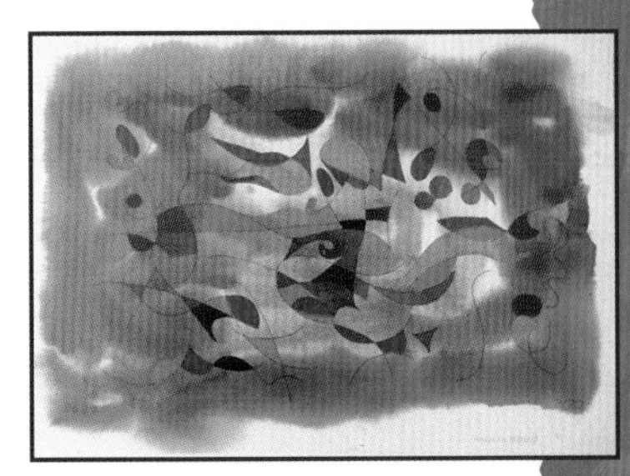

"ספר הזוהר", "שבחי האר"י", "צפת אגדה ומסתורין" הם נושאי עבודותיו.

31 Batsheva Rawet

Modern and contemporary art : oil paintings, watercolors and other media, wire sculpture. Open during the summer months and holidays. ☎ 06-6920539, 03-6991239.

בת שבע ראבד

אמנות בת-זמננו ומודרנית. ציורי שמן, אקווארלים וטכניקה מעורבת; פיסול רך. השתתפה בתערוכות בינלאומיות רבות. פתוח בחודשי הקיץ ובחגים. ☎ 06-6920539, 03-6991239.

32 Steffa Reis

Studied in London and Israel. A veteran, internationally acclaimed painter and printer. Many of her oeuvres are in private and museum collections. Open daily 11 - 13, 16 - 19. ☎ 06-6922022, 06-6999304, 03-5443399. www.artmag.com/events

סטפה רייס

למדה אמנות בלונדון ובארץ. ציירת ומדפיסה ותיקה בעלת שם ומוניטין בינלאומי. עבודותיה נמצאות באוספים פרטיים ובמוזיאונים רבים. הגלריה פתוחה ממאי עד ספטמבר יום-יום 10:00 - 13:00, 16:00 - 19:00 ☎ 06-6922022, 03-5443399.

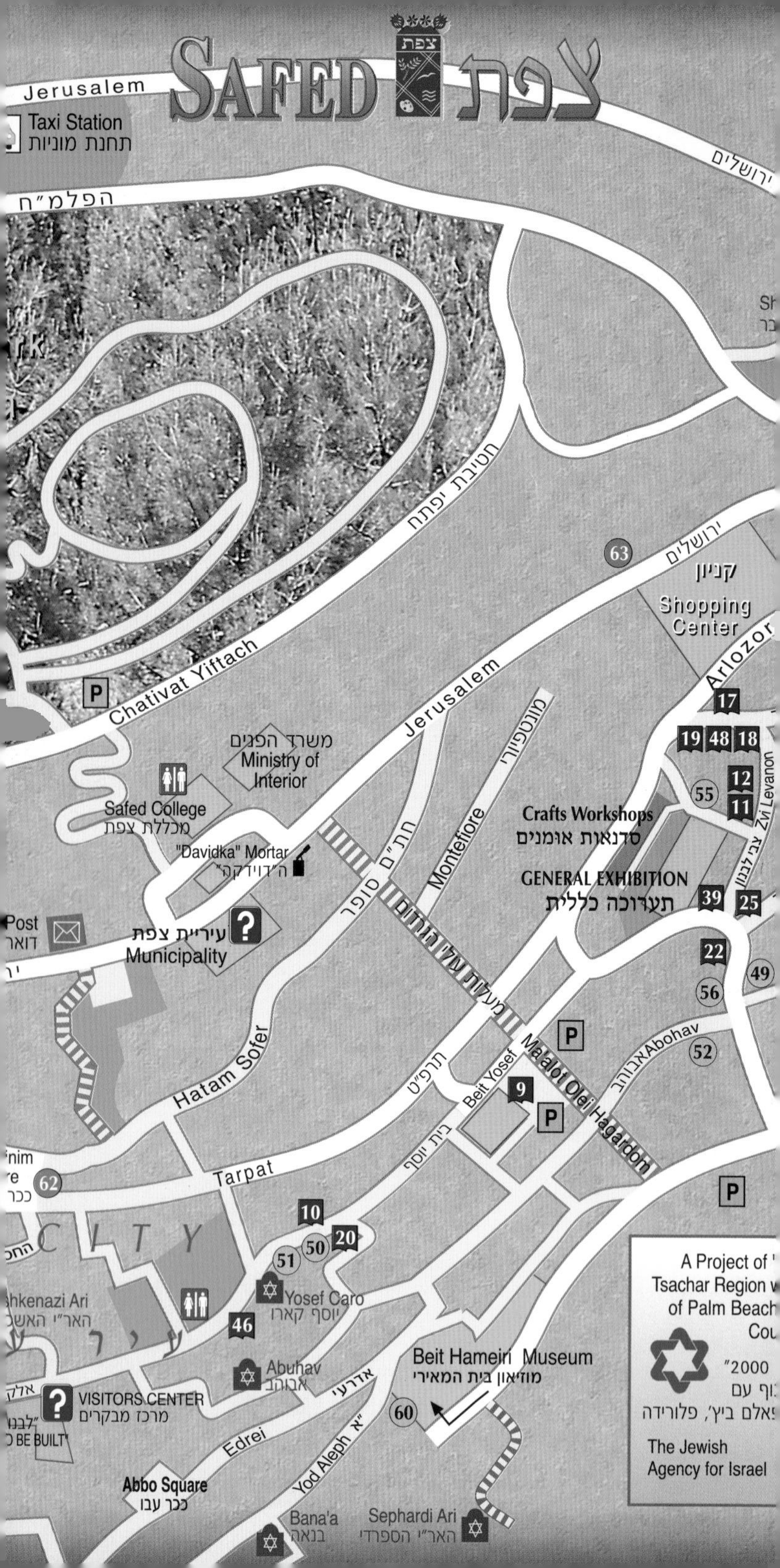

SAFED צפת
Jerusalem
ירושלים
Taxi Station
תחנת מוניות
הפלמ"ח
חטיבת יפתח
Chativat Yiftach
63
קניון
Shopping Center
Arlozorov
P
משרד הפנים
Ministry of Interior
Safed College
מכללת צפת
"Davidka" Mortar
ה"דווידקה"
Post
דואר
עיריית צפת
Municipality
חת"ם סופר
Hatam Sofer
מונטפיורי
Montefiore
מעלות עולי הגרדום
Ma'alot Olei Hagardom
Crafts Workshops
סדנאות אומנים
GENERAL EXHIBITION
תערוכה כללית
17
19 48 18
12
11
55
Zvi Levanon
צבי לבנון
39
25
22
56
49
52
Abohav
אבוהב
תרפ"ט
Tarpat
Beit Yosef
בית יוסף
9
62
10
50
20
51
Yosef Caro
יוסף קארו
46
Ashkenazi Ari
האר"י האשכנזי
Abuhav
אבוהב
VISITORS CENTER
מרכז מבקרים
Edrei
אדרעי
Yod Aleph
י"א
60
Beit Hameiri Museum
מוזיאון בית המאירי
Abbo Square
ככר עבו
Bana'a
בנאה
Sephardi Ari
האר"י הספרדי
A Project of
Tsachar Region
of Palm Beach
2000
The Jewish Agency for Israel

41 SPIERS STUDIO תערוכת ספירס

Reuven Spiers Watercolor paintings and prints of the Israeli landscape.

ראובן ספירס ציורי מים והדפסים של נופי ישראל.

Naomi Spiers
Sculpture – unique pieces and limited editions; paper-cuts

נעמי ספירס: פיסול וחיתוך נייר. עבודות ייחודיות ומהדורות מוגבלות.

Open daily all year

☎ 06 -6974701 *פתוח יום-יום כל השנה*

42 Ariyeh Tsarfaty

"...I was drawn to Safed by its enchanted views, its ancient ruins and alleys, and its mystical atmosphere. These ingredients are the raw materials that enable me to express my artistic outlook." ☎ 06-6920851.

אריה צרפתי

". . נמשכתי לצפת בגלל נופה הקסום, סימטאותיה וחורבותיה העתיקות, ההרכב האנושי המגוון, ואווירתה המיסטית. מרכיבים אלה הם חומר הגלם המאפשר לי לבטא את השקפת עולמי האמנותית". סטודיו - גלריה: רח' ט"ו 39 ☎ 06-6920851

43 Henia Teichman

Her art is first and foremost intense in its perception, design and color scheme. Her landscapes, portraits and still-lifes are deeply rooted in the Jewish Expressionist school of the 1920's and 30's. Open all summer.
☎ 06-6972860, 03-5230983.

הניה טייכמן

אמנותה היא בראש ובראשונה אינטנסיבית בתפיסתה, בעיצובה ובצבעוניותה. ציורי הנוף, הפורטרטים והדוממים של טייכמן מושרשים באקספרסיוניזם היהודי של שנות העשרים והשלושים. פתוח כל הקיץ.
☎ 06-6972860, 03-5230983.

44 Shaul Victor

Shaul Victor was one of the Artist Colony's best-known and most colorful personalities. A graduate of the Kiev Art Institute, his work was exhibited in different parts of the world. His oil paintings, acrylics and watercolors are now on show. ☎ 06-6973173.

שאול ויקטור

שאול ויקטור ז"ל היה אחד מחברי הקיריה המוכרים והססגוניים ביותר. בוגר האקדמיה לאמנות של קייב, עבודותיו הוצגו במספר מדינות. ציורי השמן, האקריליק והאקוורלים שלו בתצוגת קבע בגלריה. ☎ 06-6973173.

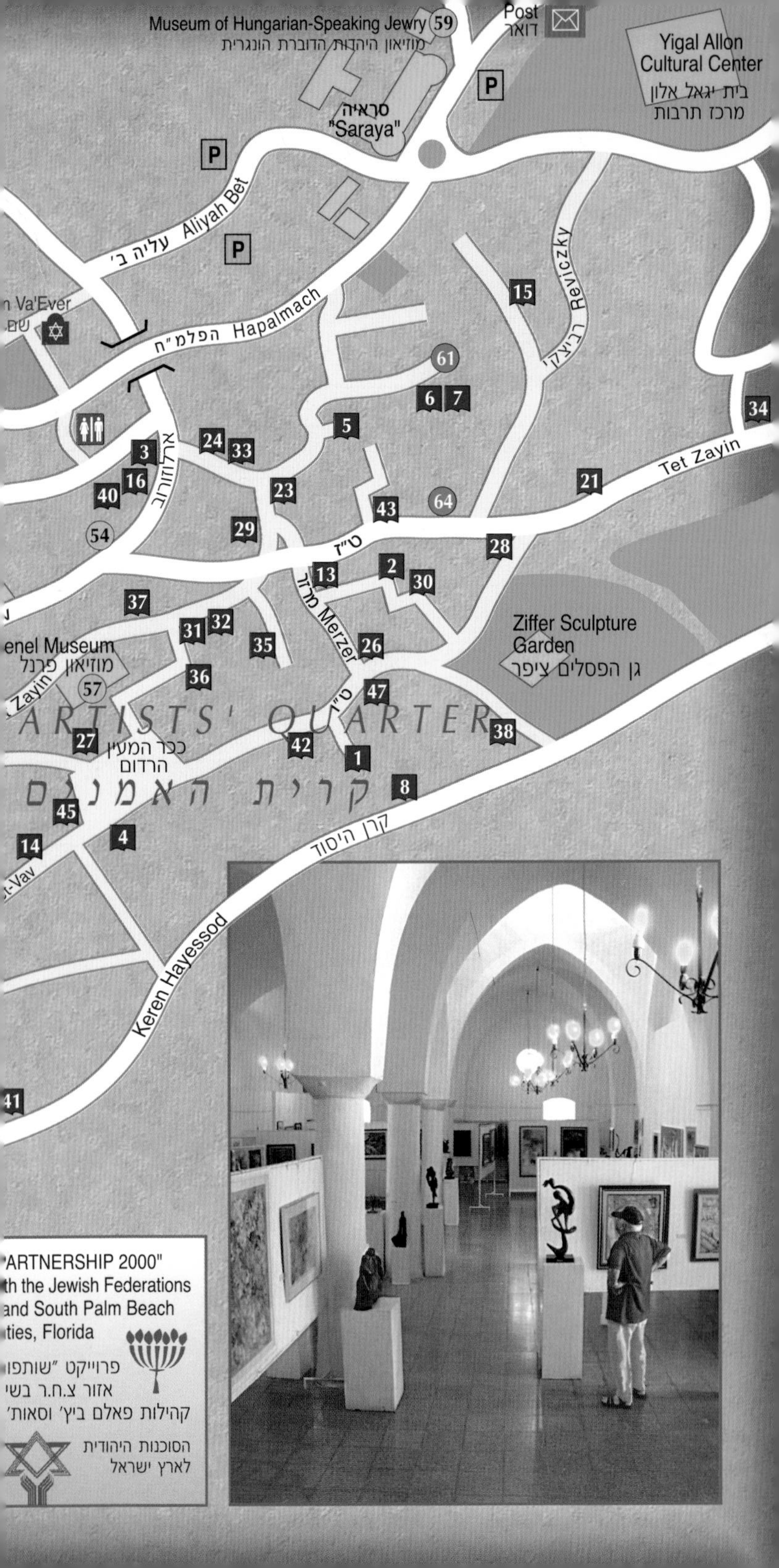

Museum of Hungarian-Speaking Jewry
מוזיאון היהדות הדוברת הונגרית
59
Post
דואר
Yigal Allon
Cultural Center
בית יגאל אלון
מרכז תרבות
סראיה
"Saraya"
P
P
P
Aliyah Bet
עליה ב'
n Va'Ever
Hapalmach
הפלמ"ח
Reviczky
רביצקי
61
64
54
57
Tet Zayin
ט"ז
Merzer
מרזר
ארלוזורוב
Ziffer Sculpture
Garden
גן הפסלים ציפר
enel Museum
מוזיאון פרנל
Zayin
ARTISTS' QUARTER
קרית האמנים
ככר המעין
הרדום
ט"ו
Keren Hayessod
קרן היסוד
t-Vav
1
2
3
4
5
6
7
8
13
14
15
16
21
23
24
26
27
28
29
30
31
32
33
34
35
36
37
38
40
41
42
43
45
47
'ARTNERSHIP 2000"
th the Jewish Federations
and South Palm Beach
ties, Florida
פרוייקט "שותפו
אזור צ.ח.ר בשי
קהילות פאלם ביץ' וסאות'
הסוכנות היהודית
לארץ ישראל

איגוד אומני צפת

סדנאות מלאכת יד - גלריות

49 Bilha

Artistic handicrafts, silver jewelry and paintings. Member of the Israeli Association of Painters and Sculptors. Open daily all year.
☎ 06-6921636

בלהה

עבודות יד אומנותיות, תכשיטי כסף, ציורים. חברה באגודת הציירים והפסלים הישראלית. פתוח יום-יום כל השנה. ☎ 06-6921636

---

50 Camus Gallery

Judaica, gold, silver and glass. Ceramic and glass creations incorporating gold, silver and semi-precious stones. Original photography on canvas. Telefax 06-6923989.
www.oldsafed.com
e-mail: sales@oldsafed.com

גלרית כמוס

יודאיקה וכלי כסף וזהב. עבודות בזכוכית וקרמיקה משולבים בכסף, זהב ואבני חן. צילומים מקוריים על בד.

51 Dadon Gallery

Original Jewish art, square-letter microcalligraphy, watercolors and a selection of Judaica artifacts. Open all year 9:00-18:00 (closed Shabbat).
Visit our website: www.dadon-art.co.il
Telefax 06-6921821.

גלרית דדון

אמנות יהודית מקורית. מיקרוקאליגרפיה באותיות דפוס, אקווארלים וחפצי יודאיקה שונים.
פתוח כל השנה 9:00 עד 18:00 (סגור בשבת).
בקרו באתר האינטרנט שלנו: www.dadon-art.co.il
טלפקס 06-6921821

---

52 Daniel Flatauer

SAFED CRAFT POTTERY

Hand-thrown stoneware and porcelain pottery; functional tableware; Judaica. Open all year 10:00-19:00 (closed Shabbat) ☎ 06-6974970
Benjamin@kinneret.co.il

בית הקדר - דניאל פלטאואר

כלי חרס ופורצלן בעבודת יד על אובניים; כלים שימושיים; יודאיקה. פתוח כל השנה 10:00-19:00 (סגור בשבת).
☎ 06-6974970

53 David Friedman Gallery

Don't miss this fascinating and unique fusion of art and Kabbalah. Colorful, contemporary watercolor paintings, prints and cards. Lectures for groups. 38 Bar Yochai St. ☎ 06-6972702

דוד פרידמן

אל תחמיצו את יצירותיו של דוד פרידמן – מיזוג ייחודי של אמנות וקבלה. ציורים צבעוניים ועכשיויים באקווארל, הדפסים וכרטיסים. רח' בר-יוחאי 38, עיר עתיקה. ☎ 06-6972702

---

54 Yakov Hadad *Gallery of Fine Art*

Exclusive permanent exhibition of the pointillist artist Roly Sheffer, and a collection of drawings, lithographs and paintings by some of Israel's best-known veteran artists. 06-6974731.

יעקב חדד *גלריה לאמנות*

תצוגת קבע בלעדית של האמן הפוינטיליסט רולי שפר, ואוסף רישומים, תחריטים וציורים של מיטב אמני ישראל הותיקים. ☎ 06-6974731

55 Michael's Gallery

בס"ד

- Jewish art, oil paintings
- Calligraphy on parchment using a unique illumination technique
- Microcalligraphy

☎ 06-6972230, 051-588134
www.artists.co.il/michael/

גלרית מיכאל

◆ אומנות יהודית, ציורי שמן ◆ קליגרפיה על קלף עם עיטורים בטכניקה ייחודית ◆ מיקרוקאליגרפיה ☎ 051-588134, 06-6972230 www.artists.co.il/michael/

---

56 Jorkaam Gallery

"...Blessed with ample self-assurance and boldness, she paints in a clearly expressionist style, her approach reminiscent of Karel Appel. The men and women are in turmoil, reaching the viewer through a maelstrom. . ." Open all year. ☎ 06-6921133, 051-467836.

גלרית יורקעם

".. מירי יורקעם מבורכת בהעזה ובטחון עצמי. היא מציירת בסגנון אקספרסיוניסטי מובהק, דומה במקצת לגישתו של קארל אפל. ראשי האדם נסערים ובנויים דרך מערבולת." פתוח כל השנה. ☎06-6921133, 051-467836.

57 Yitzhak Frenel Museum

Frenel (1899-1981) was a leading member of the modernist stream "Ecole de Paris" in the 1920's and 30's and one of the pioneers of Eretz-Israel art. In the museum is his preserved studio and a rich collection of his work. Open all year 10-18, Fri, Sat until 14:00. Admission Free. ☎ 06-6920235.

מוזיאון יצחק פרנל

יצחק פרנל פרנקל (1981-1899), דמות מובילה ב״אסכולת פריז״ ומהאבות המייסדים של הציור הארצישראלי. במוזיאון אוסף עבודותיו. פתוח כל השנה 10-18. ו׳ ושבת עד 14:00. הכניסה חינם. ☎ 06-6920235.

---

58 Israel Bible Museum

"To Keep the Book Alive" – Est. 1984

Experience the Bible through the art of Phillip Ratner. Open Oct-Apr: Sun-Thu 10:00-14:00 ; May-Sep: Sun-Thu 10:00-16:00, Fri 10:00-13:00. Closed Shabbat and January. Admission Free. Special group arrangements: ☎ 06-6999972

מוזיאון התנ״ך הישראלי- נוסד 1984

לחוות את התנ״ך דרך אמנותו של פיליפ רטנר. פתוח אוקט-אפר: א׳-ה׳ 10-14; מאי-ספט: א׳-ה׳ 10-16, ו׳ 10-13. סגור שבת וכל ינואר. הכניסה חינם. לתאום ביקור קבוצתי: ☎ 06-6999972

59 Memorial Museum of Hungarian-Speaking Jewry

Sheds light on the material and spiritual life of this community. Living testimony of hundreds of years of Jewish heritage. Audio-visual presentation; Interactive computerized information center. Open Sun-Fri 9:00-13:00.
☎ 06-6923880, 6925881 www.hungjewmus.org.il

המוזיאון למורשת היהדות הדוברת הונגרית

אוסף המוצגים והמסמכים משקפים את החיים החמריים והרוחניים של יהדות זו. עדות ומזכרת של מאות שנות חיים קהילתיים. מיצג אור-קולי; מרכז מידע ממוחשב. פתוח ימי א׳-ו׳ 9:00 - 13:00. קבוצות בתאום מראש.

---

60 Beit Hameiri *Museum of Safed Heritage*

Illustrates Jewish life in Safed over the past 200 years. Housed in a restored historic building. Guided tours of museum and Old City by prior appointment. Open Sun-Thu 9-14, Fri 9-13
☎ 06-6971307, 6921939

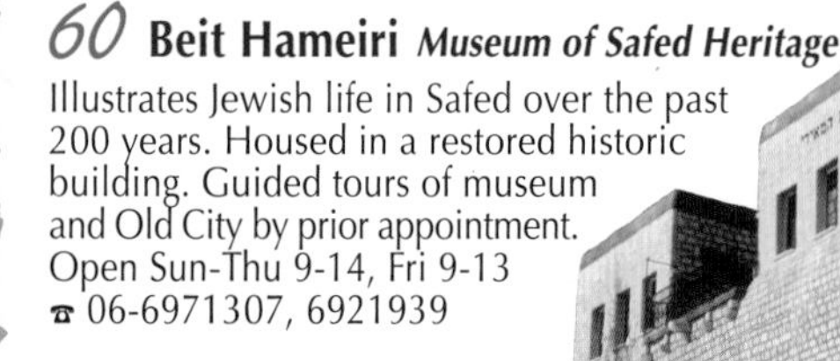

בית המאירי *מוזיאון למורשת צפת*

תיעוד חיי הקהילה היהודית בצפת ב-200 השנים האחרונות, באתר היסטורי משוחזר.סיורים מודרכים במוזיאון ובעיר העתיקה. פתוח א׳-ה׳ 9-14, ו׳ 9-13 ☎ 06-6971307

45 Zippora Weiss

Oil paintings, watercolors, drawings and color etchings. Portraits and landscapes. Open during the summer months. ☎ 06-6972068, 03-6737675.

"Creation"
"בראשית"

צפורה וייס

ציורי שמן, אקווארלים, רישומים ותחריטים צבעוניים. פורטרטים ונופים. פתוח בעונת הקיץ. ☎ 06-6972068, 03-6737675.

---

46 Nona Weissberg

Studied art and design in Kiev and Lvov, and worked as chief artist of the Kiev pantomime theater before immigrating to Israel in 1991. Took part in exhibitions in Kiev and Israel. Oil paintings, watercolors and graphics. Open all year. ☎ 06-6970092.

נונה וייסברג

למדה ציור וגרפיקה בקייב ולבוב. עבדה כציירת ראשית בתיאטרון לפנטומימה של קייב לפני עלייתה לישראל ב-1991. הציגה בקייב, חיפה וצפת. ציורי שמן, אקווארלים וגרפיקה. פתוח כל השנה. ☎ 06-6970092.

47 Leonid Zikeev

Award-winning painter and etcher. Held shows in several countries and won awards in Spain and Sweden. His work is on display in Russian and Israeli museums. The etching at left won first prize at an international competition in Barcelona. Open daily 9:00-19:00. ☎ 06-6974828.

לאוניד זיקייב

ציוריו ותחריטיו מוצגים במוזיאונים חשובים ברוסיה ובארץ. התחריט משמאל זכה בפרס ראשון בתחרות בינלאומית בברצלונה. פתוח כל יום 9:00 - 19:00. ☎ 06-6974828.

---

48 Ilana Zimhoni

Her paintings are inspired by the blinding light, the expanse of sea and desert, and the mountain rythms of the Galilee. Many of her paintings draw from Psalms and from Kabbalistic mysticism. Open daily July - Oct.. ☎ 06-6972910, 04-8385906.

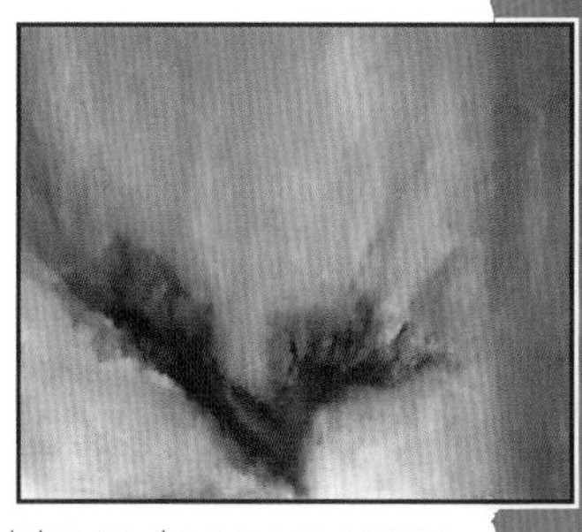

אילנה צמחוני

ציורים בהשראת האור המסנוור, מרחבי הים והמדבר, ומקצבם של הרי הגליל. רבות מעבודותיה מושפעות ממזמורי תהילים ומהמיסטיקה הקבלית. פתוח כל יום מיולי עד אוקטובר. ☎ 06-6972910, 04-8385906.

THE SAFED CRAFT GUILD

WORKSHOP - GALLERIES

B & B, Holiday Apartments

Old City and Artists' Quarter	
Beit Yeshurun – central Old City 0	
Auerbach Michal - 06-6972759	לסו אמנות.
Beit Shalom	ק 3 קרית האמנים 6971861, 6970445, 6920895
Eli's Hostel -	(סמוך למלון ת"א) רידב"ז 12 ע. עתיקה 6972555, 053-203730
Buchnik Yosef - Jerusalem 79.	וסף - ירושלים 79. 6973698, 08-6974732, 052-833415
Ben Zichri, Citadel Hill	שתן ספרדי" לרגלי המצודה, חטיבת יפתח 27, 6922266, 050-407566
Beit Bar-El - Artists' Quarter (catering)	ית בראל - י"ז 23 קרית האמנים 6923661 (קייטרינג)
Beit Harris - Artists' Quarter	ית הריס, רח' קורציק 27 קרית האמנים 6921133, 051-467836
Dr. Porat - Tet Vav 24, Artists' Quarter	ר' פורת ככר המעין הרדום קרית האמנים 6923815
Beit Shoshana – A. Quarter	ית שושנה - הפלמ"ח 16/6 קרית האמנים 6973939, 050-995623
Beit Hagefen - Artists' Quarter	חצר הגפן" - ט"ו 60 קרית האמנים 03-9607241, 053-659633
Heather's House, Old City	ייב שלמה - "ביתה של התיר", עיר עתיקה 6820899, 053-731421
Goldberg, A. Quarter	טודיו אירוח גולדברג קליימן - ט"ו 60 קרית האמנים, 6999461 6925413

South Safed and Bneh Beitcha	כונות בדרום העיר ובנה ביתך
Beit Rado - Bneh Beitcha 55	ורחן בית רדו - בנה ביתך 55, 02-5818518, 06-6921021
Beit Ephraim - Bneh Beitcha 27	ורחן "פסגות" בנה ביתך 27, 6920221, 09-9507675 (בערב)
Beit Avraham - Hahaganah 177/5	ית אברהם - הכשרת הישוב (ההגנה) 177/5, 6972858
Beit Carasenti - Shikun Amami 18	ית כרסנטי - שיכון עממי 18, 06-6920351
Beit Kadosh- Bneh Beitcha 38	ית קדוש - בנה ביתך 38, 6974305, 052-814918, 051-450806
Beit Pnina Levy - Bneh Beitcha 25	ית לוי פנינה - בנה ביתך 25, 6920556

Mt. Canaan, Neveh Oranim, City Entrance	ורדות הר כנען, הר כנען א' ו-ב', נווה אורנים
Nof Har - city entrance	נוף הר" - רח' ל' 8 (סמוך לתחנת סונול) ממוזג 6920274, 052-789254
The Pink House - city entrance	בית בורוד מול ההר" רח' ל' 32 (מעל תחנת סונול) 6972308
Beit Lazerovich - Mt Canaan	ית לזרוביץ - הגדוד השלישי 47 הר כנען, 6972902
Beit Kadosh - Mt Canaan	ית קדוש - הגדוד השלישי 3, הר כנען, 6920673,052-973427
Beit Elmakias - Neveh Oranim 147	ית אלמקיס - נווה אורנים 147, כנען ב' 6971711, 6921979
Gershon Mandy - Neveh Oranim	רשון מנדי - נווה אורנים, כנען ב' 6971413, 052-791359
Beit Ozer - Neveh Oranim 38	ית עוזר - נווה אורנים 38 כנען ב' 6972848

Nof Kinneret	וף כנרת
Beit Mahler - Nof Kinneret 24	ית מהלר - נוף כנרת 24 6821379, 051-989672

Hotels
תי מלון

Town Center, Old City, Artists' Quarter	רכז העיר, העיר העתיקה וקרית האמנים
Howard Johnson Rimon Inn	הווארד ג'ונסון פלאזה רות רימונים" 1800-766766, 6920456
Ron Hotel - Citadel Hill	לון "רון" חטיבת יפתח (לרגלי המצודה) 6972590, 6972363
Merkazi "Central" Hotel - Jerusalem 37	לון "מרכזי" ירושלים 37, 6972666 פקס 6972366
Hadar Hotel - Old City	לון הדר - שולה ראובני- סמטה א' 8 (בקרבת גן העיר) 6920068
Carmel Hotel - Ha'ari St., Old City	אחוזת כרמל" - רח' האר"י, עיר העתיקה 6920053

Mt. Canaan	ר כנען
Tsammeret Inn, Mt. Canaan 6794951	לון "צמרת אין" הר כנען (פתיחה משוערת חורף 2,000)
Pisga Hotel, Mt. Canaan 6970044	כסנית מלון "פיסגה" הר כנען, רח' הגדוד השלישי 6920105,
Ruckenstein Hotel - Mt. Canaan	לון "רוקנשטיין" הר כנען צפת. 06-6920060

Hostels
כסניות

Beit Binyamin Youth Hostel 6925036	כסניית הנוער "בית בנימין" לוחמי הגטאות 1, 6921086,
Ascent -	אסנט" - מכון לימוד מיסטיקה יהודית ואכסניה, עיר העתיקה 6921364, 6971407
Beit Gesher - Mt. Canaan	כסניית "בית גשר" הגדוד השלישי הר כנען 6920297, 054-662811
Sukah Bagalil 6923450	סוכה בגליל" אכסנית המכון לרפואה יהודית ע"ש הרמב"ם, קרית שרה,

---

** Telephone numbers which appear with no area code are all local 06.*

ng

perience in the
d. Dine on gourmet
n a beautiful 150
e. Groups only – by
n. B&B also available.
... 6923661.
e-mail: barel@canaan.co.il

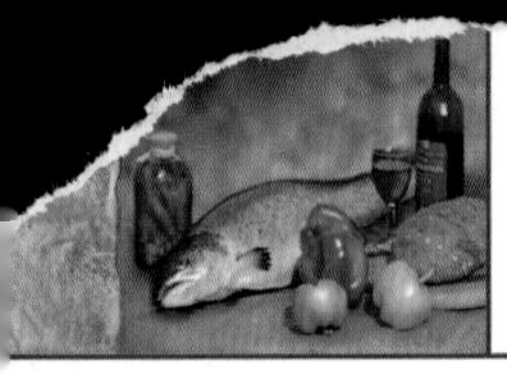

בר-אל קייטרינג

חוויה קולינרית ייחודית בקרית האמנים של צפת. ארוחות גורמה צמחוניות, בבית אבן מרהיב בן 150 שנה. לקבוצות של 10 - 70 בתאום מראש. במקום גם צימר יפהפה. ☎ 06-6923661

62 Golden Mountain Cheese

Production and sale of matured Dutch-style Gouda cheese, using traditional methods. Made from goats' milk; no additives or preservatives. We also serve filter coffee and delicatessen: sandwiches, salads and cheese platters. Kosher Mehadrin Open Sun -Fri 10-22. Winter 10-19. ☎ 06-6923020, 051-567504.

גולדן צ'יז - גבינה הולנדית ביתית

ייצור ומכירה של גבינת גאודה מיושנת בסגנון הולנדי מחלב עזים. ללא תוספים או חומר משמר. במקום מגישים גם קפה פילטר, סנדוויצים, סלטים ופלטות גבינות. כשר מהדרין. פתוח א'-ו' 10-22. חורף 10-19

63 Hamifgash

Kosher Mehadrin restaurant. International cuisine and local delicacies. Unique wine cellar. Open all day, closed Shabbat. Special menu and prices for children. ☎ 06-6974734, 06-6920510

מסעדת המפגש

מסעדה כשרה - מהדרין. מטבח בינלאומי ומטעמים מקומיים. בשרים על האש, ארוחות דגים; מרתף יינות ייחודי פתוח כל היום, סגור בשבת. תפריט ומחיר מיוחד לילדים. ☎ 06-6974734, 06-6920510

64 Sholem Aleichem

Tasteful, exceptional restaurant in the Artists' Quarter. Approved by the Min. of Tourism; received wide coverage in the press. Special attention is paid to the preparation, presentation and aesthetic surroundings. Kosher Mehadrin. Catering service. Open in season 10:00-23:30.

☎ 06-6821357, 052-332950

שולם עליכם

מסעדה ציורית ומיוחדת בלב קרית האמנים, מול מלון רימונים. מוכרת ע"י משרד התיירות; זכתה להדים רבים בתקשורת. ייחודה בצורת ההכנה, ההגשה, והסביבה האסתטית. פתוח בעונה 10:00-23:30. רצוי להזמין מראש שרותי קייטרינג בהודעה מוקדמת. כשר למהדרין.